C000005800

Oiseaux

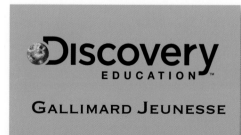

UN LIVRE WELDON OWEN

© 2011 Discovery Communications, LLC.
Discovery Education™
et le logo **Discovery Education**
sont des marques déposées de Discovery
Communications, LLC, utilisées sous
licence.
Tous droits réservés.

Conçu et réalisé par
Weldon Owen Pty Ltd
59-61 Victoria Street, McMahons Point
Sydney NSW 2060, Australie

Édition originale parue sous le titre
Flying High
Copyright © 2011 Weldon Owen Pty Ltd

**POUR L'ÉDITION ORIGINALE
WELDON OWEN PTY LTD**
Direction générale Kay Scarlett
Direction de la création Sue Burk
Direction éditoriale Helen Bateman
Vice-président des droits étrangers
Stuart Laurence
**Vice-président des droits Amérique
du Nord** Ellen Towell
**Direction administrative des droits
étrangers** Kristine Ravn
Éditeur Madeleine Jennings
Secrétaires d'édition Barbara McClenahan,
Bronwyn Sweeney, Shan Wolody
Assistante éditoriale Natalie Ryan
Direction artistique Michelle Cutler,
Kathryn Morgan
Maquettiste Lore Foye
Responsable des illustrations
Trucie Henderson
Iconographe Tracey Gibson
Directeur de la fabrication
Todd Rechner
Fabrication Linda Benton
et Mike Crowton
Conseiller George McKay

POUR L'ÉDITION FRANÇAISE
Responsable éditorial Thomas Dartige
Édition Éric Pierrat
Couverture Marguerite Courtieu
Photogravure de couverture Scan+
Réalisation de l'édition française
ML Éditions, Paris,
sous la direction de Michel Langrognet
Traduction Marine Bellanger
Édition et PAO Giulia Valmachino
Correction Marie-Pierre Le Faucheur

ISBN : 978-2-07-064458-2
Copyright © 2013 Gallimard Jeunesse,
Paris
Dépôt légal : janvier 2013
N° d'édition : 238278
Loi n° 49-956 du 16 juillet 1949
sur les publications destinées
à la jeunesse.

Ne peut être vendu au Canada

Imprimé et relié en Chine
par 1010 Printing Int Ltd.

Oiseaux

Lesley McFadzean

Sommaire

L'évolution des oiseaux

L es oiseaux sont les probables descendants de petits dinosaures carnivores, les théropodes, qui leur ressemblaient. Comme eux, ils pondaient des œufs, et leurs pattes étaient couvertes d'écailles. Leurs organes internes et certains de leurs os étaient semblables à ceux des oiseaux. Les plumes sont faites de kératine comme les écailles des reptiles. Bien sûr, une hirondelle ne ressemble pas à un dinosaure, mais l'autruche y fait penser !

Incroyable !
Le savant Thomas Huxley mangeait une cuisse de caille quand il remarqua un os identique à celui qu'il avait observé sur un dinosaure fossile. Il comprit alors que les deux animaux étaient de lointains parents !

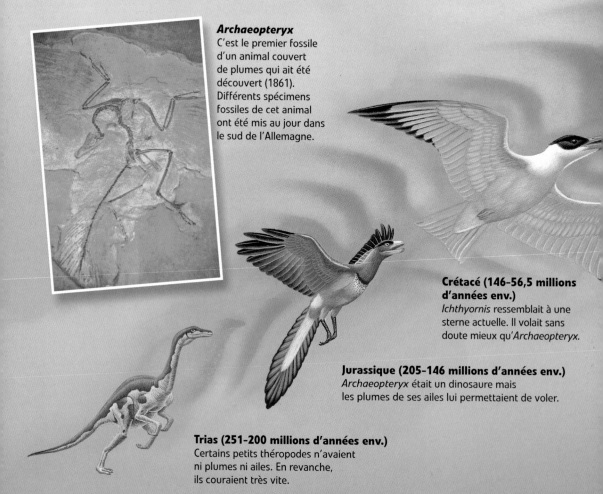

Archaeopteryx
C'est le premier fossile d'un animal couvert de plumes qui ait été découvert (1861). Différents spécimens fossiles de cet animal ont été mis au jour dans le sud de l'Allemagne.

Crétacé (146–56,5 millions d'années env.)
Ichthyornis ressemblait à une sterne actuelle. Il volait sans doute mieux qu'*Archaeopteryx*.

Jurassique (205–146 millions d'années env.)
Archaeopteryx était un dinosaure mais les plumes de ses ailes lui permettaient de voler.

Trias (251–200 millions d'années env.)
Certains petits théropodes n'avaient ni plumes ni ailes. En revanche, ils couraient très vite.

Les maillons d'une chaîne

Les dinosaures théropodes avaient de robustes pattes postérieures et des membres antérieurs courts qu'ils utilisaient pour saisir leurs proies. Il y a des millions d'années, ces bras se transformèrent en ailes.

De nos jours
En l'espace de plusieurs millions d'années, les oiseaux ont adapté leur corps pour voler plus vite, plus longtemps et plus loin.

L'ÉVOLUTION DU SQUELETTE

Le squelette des théropodes, comme *Compsognathus,* a évolué pour aboutir à celui des oiseaux. Le pubis pointe désormais vers l'arrière. Les doigts des membres antérieurs deviennent des ailes, et les deux clavicules ne font plus qu'une. Ainsi *Archaeopteryx* a le bassin de *Compsognathus,* mais il a des ailes, et ses clavicules ont fusionné (voir p. 13).

Les dinosaures
Il est admis aujourd'hui par les paléontologues que *Compsognathus* est un ancêtre des oiseaux.

Archaeopteryx
Il avait les jambes postérieures et la mâchoire dentée d'un dinosaure, mais il possédait des ailes.

Les oiseaux
À la différence de leurs ancêtres, ils ont une queue courte et osseuse, des pattes plus courtes et la poitrine plus large.

Oiseaux terrestres

I l existe plus de 10 000 espèces d'oiseaux. Si tous ont des plumes, un bec et pondent des œufs, ils n'ont pas tous le même habitat. Ceux qui ne vivent que sur la terre ferme sont les oiseaux terrestres.

Le francolin à bandes grises
Ce gros oiseau trapu des forêts est un proche parent de la perdrix et de la caille.

La chouette épervière
Ce rapace des bois se nourrit de petits rongeurs et d'autres oiseaux.

Le colibri de Geoffroy
Cet oiseau minuscule vit en Amérique du Sud, dans les forêts tropicales humides des Andes.

Le quetzal resplendissant
La superbe queue du quetzal peut mesurer jusqu'à 60 cm.

Le tamatia tacheté
Immobile sur une branche basse, le tamatia tacheté attend que passe une proie.

Le pic du Bengale
Ce pic cherche des insectes du bout du bec, dans les régions boisées de l'Inde.

Le grand éclectus
Ce perroquet a un plumage d'un vert éclatant. Celui de sa femelle est rouge vif.

Le vautour
Le vautour est un charognard : il se nourrit donc d'animaux morts.

La colombine turvert
Ce pigeon se nourrit au sol de fruits et de graines, dans les forêts d'Asie, de Nouvelle-Guinée et d'Australie.

DRÔLE D'ÉMEU !

L'émeu d'Australie peut atteindre 1,80 m de haut. Ses longues plumes, fines et soyeuses, retombent de chaque côté du corps.

Longues plumes retombantes

Le martin-chasseur d'Euphrosine
Cet oiseau siffleur pêche du poisson dans les forêts tropicales de Nouvelle-Guinée.

Le sicale bouton-d'or
Ce petit passereau mesure environ 15 cm de long.

Pieds à trois doigts

Le coq-de-roche orange
Lorsqu'il survole les forêts tropicales, ses ailes émettent un sifflement.

Oiseaux aquatiques

I en existe deux types. Les oiseaux d'eau douce vivent près des zones humides (les marais, les étangs, les lacs ou les cours d'eau). Les oiseaux marins vivent au voisinage des mers et des océans, qu'ils survolent pour se nourrir, revenant à terre pour nidifier. Les oiseaux d'eau douce font leur nid dans les roseaux, au bord des cours d'eau, dans des arbres près de l'eau. Les oiseaux marins s'accommodent des falaises, des îlots ou de la mangrove.

Le pélican frisé
Ses larges ailes lui permettent de voler. Mais il économise son énergie en faisant du vol plané, qui lui demande moins d'efforts.

Une nourriture variée
Certains oiseaux marins se nourrissent des crustacés sur les côtes. D'autres pêchent à la surface de l'eau, d'autres encore plongent pour attraper des poissons.

Puffin cendré

Grand cormoran

Sterne naine

L'aigrette garzette
Ses longues pattes lui évitent de mouiller ses plumes.

Le flamant rose
Ses longues pattes sont adaptées
à la marche dans la vase. Il plonge
sa tête dans l'eau et filtre des
mollusques dans son bec muni
de fanons. La carotène présente
dans sa nourriture renforce
sa couleur rose.

Le héron Goliath
Ce grand héron d'Afrique
patauge dans l'eau. Puis, en
un éclair, il embroche un poisson
sur son bec, effilé comme un poignard.

Le jabiru d'Asie
Cette cigogne a une
envergure de plus de 2 m.

La grue brolga
Tout en sautillant, la grue brolga
se nourrit de plantes et d'insectes.

L'anatomie

L e corps d'un oiseau comporte certaines particularités qui facilitent son vol. Il possède moins d'os creux qu'un mammifère et les siens sont creux, donc plus légers, ce qui lui permet de décoller. Il est aussi pourvu d'un système digestif spécial. En effet, les oiseaux sont les seuls animaux qui possèdent un jabot où ils peuvent emmagasiner leur nourriture, au lieu de la digérer tout de suite. Cela permet aux oiseaux de stocker de l'énergie sans surcharger leur estomac. Le gésier est un estomac musculeux qui a pour fonction de broyer la nourriture. Les poumons, qui inspirent et expirent l'air à chaque battement d'ailes, sont reliés à des poches d'air appelées sacs aériens. Elles contribuent aussi à rendre le corps de l'oiseau plus léger.

Le savais-tu ?

Les oiseaux absorbent plus de nourriture que les autres animaux par rapport à la taille de leur corps. Certains avalent en un jour près de 80 % de leur poids.

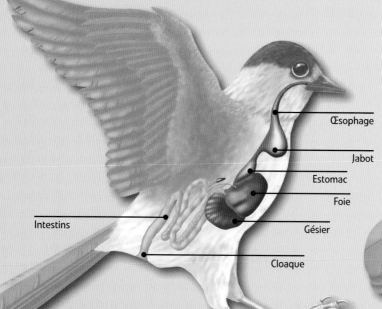

Œsophage

Jabot

Estomac

Foie

Intestins

Gésier

Cloaque

La nourriture
La nourriture descend d'abord dans le jabot. Puis elle glisse par petites quantités dans l'estomac et le gésier pour être digérée.

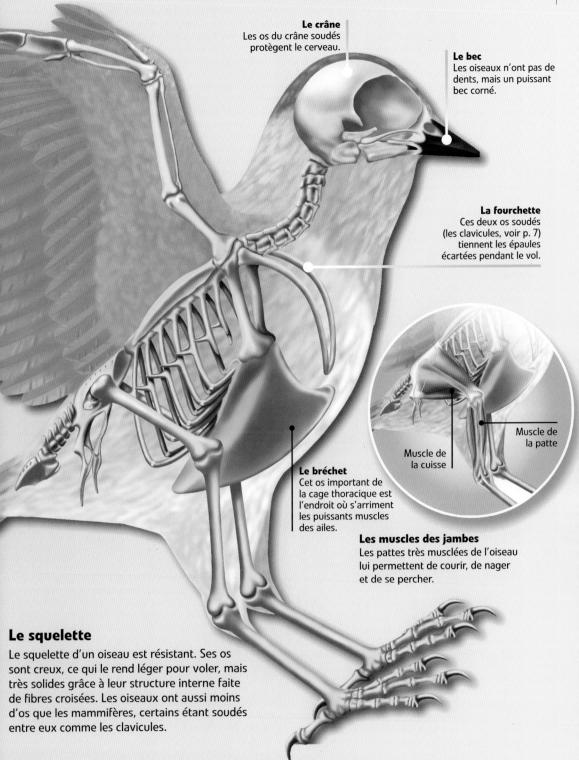

Le crâne
Les os du crâne soudés protègent le cerveau.

Le bec
Les oiseaux n'ont pas de dents, mais un puissant bec corné.

La fourchette
Ces deux os soudés (les clavicules, voir p. 7) tiennent les épaules écartées pendant le vol.

Le bréchet
Cet os important de la cage thoracique est l'endroit où s'arriment les puissants muscles des ailes.

Muscle de la patte

Muscle de la cuisse

Les muscles des jambes
Les pattes très musclées de l'oiseau lui permettent de courir, de nager et de se percher.

Le squelette

Le squelette d'un oiseau est résistant. Ses os sont creux, ce qui le rend léger pour voler, mais très solides grâce à leur structure interne faite de fibres croisées. Les oiseaux ont aussi moins d'os que les mammifères, certains étant soudés entre eux comme les clavicules.

Les plumes

Les oiseaux sont les seuls animaux portant des plumes. Celles-ci peuvent présenter toutes les couleurs de l'arc-en-ciel. Les plumes colorées servent à se camoufler pour échapper aux prédateurs ou à séduire une partenaire. Elles sont dirigées de la tête vers la queue et sont superposées, afin que le vent glisse doucement sur leur surface pendant le vol. Quand une plume est usée ou endommagée, une nouvelle pousse sous l'ancienne : c'est le phénomène de la mue. Beaucoup d'oiseaux muent deux fois par an, mais pas tous à la même période.

TROIS TYPES DE PLUMES

La peau de l'oiseau est protégée par un duvet, petites plumes douces qui lui tiennent chaud. Par-dessus, les plumes de contour, courtes et rondes, lui donnent sa forme aérodynamique. Celles des ailes et de la queue, les plus longues, servent au vol. Les plumes comportent des barbes, qui s'accrochent entre elles.

Grande plume ou rémige

Longue plume de la queue ou rectrice

Plume de contour ou tectrice

Duvet

Tige de la plume

Barbe

Les barbules agissent comme des crochets et maintiennent ensemble les barbes qui donnent une surface lisse à la plume.

Plumes de la queue (rectrices)

Le savais-tu ?

Le colibri à gorge rubis n'a que 940 plumes, ce qui est bien peu par rapport à d'autres oiseaux. Le cygne siffleur est le champion, avec plus de 25 000 plumes en hiver !

Le paradisier bleu

Pour séduire une femelle,
le mâle se suspend la tête
en bas, ébouriffe les plumes
de sa poitrine et laisse pendre
ses longues plumes noires.

Les « yeux » du paon

Sa longue traîne de plumes
peut atteindre 60 % de
sa longueur totale. Quand
il fait la roue, les taches
bleues en forme d'yeux
attirent les femelles.

Plumes de la crête

Couronne
de plumes

Une bonne couverture

Les plumes du geai bleu
se superposent parfaitement.
Si l'une d'elles dépassait,
elle ferait barrière au vent
et ralentirait le vol de l'oiseau.

Grandes plumes
de couverture

Le goura de Victoria

Le plus gros des pigeons dresse
sa superbe crête de plumes
pour attirer une femelle.
Malheureusement, il attire
aussi l'attention des chasseurs !

Petites plumes
de couverture

Rémiges

Les ailes

L a forme des ailes varie selon l'environnement de l'oiseau et son type de vol. Des ailes courtes et rondes sont parfaites pour les oiseaux vivant dans les bois car elles leur offrent un maximum de manœuvrabilité. Mais elles ne conviennent pas pour les vols longs ou rapides. Des ailes courtes et pointues, comme celles de l'hirondelle, permettent de voler très vite en plein ciel. Des ailes longues et fines conviennent au vol lent sur de longues distances, pour planer, faire du sur-place ou décoller : c'est le cas de nombreux oiseaux de mer. Des fentes aux extrémités des ailes aident l'oiseau à manœuvrer à vitesse réduite.

L'ENVERGURE

L'envergure d'un oiseau se mesure de l'extrémité d'une aile à l'autre, quand les ailes sont entièrement ouvertes et étendues.

Cigogne
Envergure : 1,50 m

Canard
Envergure : 55 cm

Martinet
Envergure : 33 cm

Moineau
Envergure : 22 cm

Chut ! Je vole !
Les rapaces nocturnes volent sans bruit grâce aux bords frangés de leurs ailes qui laissent passer l'air. Leurs proies ne les entendent pas venir !

Un record d'envergure !
Il faut l'envergure de six hirondelles pour
égaler celle d'une seule aile d'albatros (3,40 m
au total). Cet oiseau de mer peut «bloquer»
ses ailes grandes ouvertes pour planer.

L'albatros pèse lourd !
Les ailes de l'albatros
portent jusqu'à 8 kg.

**La perruche
omnicolore**
Cet oiseau
au plumage rouge,
vert et jaune
laisse voir en vol
une quatrième
couleur : le bleu
de ses rectrices !

Chasse sous parapluie
Quand elle pêche,
l'aigrette ardoisée étend
ses ailes en couvercle sur
sa tête, faisant de l'ombre
sur l'eau. Les poissons
sont ainsi plus visibles !

Le vol des oiseaux

Les plumes du vol, appelées les rémiges, ainsi que les muscles des ailes et une forme globale aérodynamique permettent à l'oiseau de voler. Les rémiges primaires forment le bord de l'aile, les rémiges secondaires sont plus près du corps. Les robustes plumes de la queue sont appelées rectrices. Deux puissants muscles de vol sont attachés au bréchet (voir p. 13) : l'un tire l'aile vers l'arrière, l'autre vers l'avant. En vol, la forme fuselée de l'oiseau, les plumes de sa queue déployées en éventail, ses pattes qui se replient sous son ventre le mettent parfaitement en condition de voler.

Le plongeon
Beaucoup d'oiseaux de mer plongent en piqué pour attraper du poisson sous l'eau par surprise.

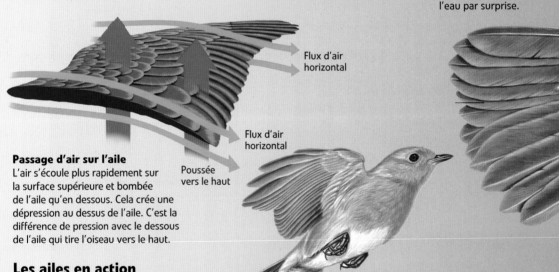

Flux d'air horizontal

Flux d'air horizontal

Passage d'air sur l'aile
L'air s'écoule plus rapidement sur la surface supérieure et bombée de l'aile qu'en dessous. Cela crée une dépression au dessus de l'aile. C'est la différence de pression avec le dessous de l'aile qui tire l'oiseau vers le haut.

Poussée vers le haut

Les ailes en action

Pour voler, un oiseau ne fait pas que battre des ailes : il écarte ou serre ses plumes de vol, tient ses ailes fermées et serrées contre son corps ou bien encore les déploie en éventail.

2 L'envol
L'envol s'effectue en élevant et en orientant les ailes vers l'arrière.

1 Le départ
Ce rouge-gorge familier prêt à s'envoler ouvre ses ailes pour laisser passer l'air entre ses plumes de vol.

QUEL CHAMPION !

Avec 100 battements d'ailes par seconde, le colibri peut voler vers l'avant, l'arrière, le bas, le haut, le côté ou même faire du sur-place.

Vers le haut : grands battements d'ailes

En avant : petits battements d'ailes

Sur place : battements d'ailes en 8

En arrière : battements d'ailes au-dessus et derrière la tête

Une machine à voler
Les puissants muscles de la poitrine actionnent les ailes.

4 La descente
À mesure que les ailes poussent l'air vers le bas, l'oiseau descend.

3 En plein vol
Les ailes sont étendues au maximum. Les pattes sont repliées sous le ventre.

5 L'atterrissage
À la fin de la descente, les ailes s'ouvrent complètement pour ralentir le vol.

Oiseaux non volants

Il existe des oiseaux incapables de voler. Pourtant, certains ont des ailes, mais dépourvues de rémiges. Les oiseaux non volants n'ont pas non plus de muscles pour actionner ces ailes, ce qui leur vaut d'avoir une poitrine plus plate que les autres oiseaux. Certains ont perdu la faculté de voler parce qu'ils n'avaient pas besoin de le faire. Beaucoup d'entre eux ont évolué dans des lieux isolés, où ils n'avaient pas de prédateurs à fuir en s'envolant. Mais là où des prédateurs existaient, les oiseaux non volants ont disparu. Certains ont cependant survécu parce qu'ils étaient très nombreux ou qu'ils couraient ou nageaient assez vite pour échapper aux prédateurs.

Les manchots
Ces oiseaux ne peuvent ni voler ni courir. Mais comme ils ont des nageoires à la place des ailes, ils nagent très bien et atteignent parfois 32 km/h.

L'autruche
L'autruche ne vole pas, mais elle peut battre une antilope à la course, en faisant des pointes à 65 km/h.

Le casoar à casque
Le casoar vit dans les forêts pluviales d'Australie, où les sous-bois touffus l'empêchent de se servir de ses larges ailes.

Incroyable !

L'autruche est le plus gros
des oiseaux. Elle a des ailes puissantes,
mais qui ne pourraient pas porter
son corps en vol… car elle pèse
plus de 120 kg !

Nouvelle-Zélande

Les îles de la Nouvelle-Zélande se
sont formées il y a 80 à 100 millions
d'années. On y trouve beaucoup
d'oiseaux non volants, pour
la plupart en danger d'extinction.

Le kakapo
C'est le plus gros des perroquets,
et le seul incapable de voler.

Le kiwi
Le kiwi brun a une mauvaise vue,
mais son odorat est très développé.

Le talève takahé
Cet oiseau fait son nid au sol.
Il a des pattes et des pieds robustes.

Le râle wéka
Les ailes du râle wéka ne lui servent que
pour garder son équilibre quand il court.

Le bec des oiseaux est fait de kératine, comme leurs plumes, nos ongles ou nos cheveux.

LE TOUCAN TOCO

C'est le plus grand des 37 espèces de toucans. Il vit au sommet des arbres des forêts tropicales d'Amérique du Sud. Son bec mesure près de 20 cm de long, mais les poches d'air qu'il contient le rendent léger.

Gourmand toucan
Le toucan cueille des fruits sur les hautes branches et renverse sa tête en arrière pour les faire glisser dans sa gorge.

Alimentation et habitat

La mésange bleue
Ce petit oiseau se nourrit d'insectes en été. L'hiver, quand ils se font rares, il mange des graines.

Certains oiseaux se nourrissent de plantes, d'autres de graines et de fruits, d'autres encore d'insectes. Les oiseaux aquatiques pêchent du poisson. Plusieurs espèces peuvent partager le même habitat, chacune cherchant sa nourriture à un endroit différent : sur le sol, sur les arbres, dans l'écorce de ceux-ci ou au bord de l'eau. La forme du bec dépend de l'alimentation : les gros becs brisent les graines, les becs crochus déchiquettent et les becs longs et fins fouillent la terre à la recherche de fruits ou de vers.

Le macareux moine
Cet oiseau de mer prend plus de 40 petits poissons par jour. Il en saisit beaucoup à la fois, grâce à son gros bec dentelé qui les empêche de glisser et de retomber dans l'eau. Puis il avale le tout ou en nourrit son petit qui l'attend au nid dans l'anfractuosité d'une falaise.

Les nids

Un oiseau sait d'instinct quel nid lui convient et comment le construire. Certaines espèces tressent des nids très compliqués. D'autres rassemblent juste quelques brindilles ou nichent même directement sur le sol. L'oiseau choisit d'abord l'endroit idéal pour faire son nid. Puis il va chercher aux alentours des matériaux tels que branchettes, cailloux, plumes, cheveux ou toiles d'araignée. Avec tout cela, il construit un nid chaud et douillet, où sa femelle pourra pondre ses œufs à l'abri des prédateurs.

Un nid aquatique
Les échasses blanches ont comme nids des buissons de végétation au bord de l'eau.

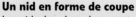

Un nid en forme de coupe
Les nids dans les arbres sont en forme de coupe à hauts bords, pour empêcher les œufs de tomber.

Les aires
Une fois leur aire construite sur une falaise, les oiseaux de proie s'en servent à nouveau chaque année.

LE NID EN TERRIER

Le martin-pêcheur d'Europe creuse son nid dans la berge des ruisseaux, assez haut pour qu'il ne soit pas emporté par le courant.

Nid en terrier de martin-pêcheur

Un panier suspendu

Le tisserin à tête noire mâle commence par construire son nid avec des brins d'herbe, qu'il tisse de façon serrée. Puis il s'efforce d'attirer l'attention d'une femelle pour qu'elle vienne s'y installer.

La migration

L'hiver, une bonne moitié des espèces d'oiseaux quitte les régions froides pour aller vers l'équateur et les régions tropicales, où il fait chaud : c'est la migration. Presque tous voyagent en troupes, mais certains le font en solitaire. Les oiseaux migrateurs font des haltes pour se reposer et se nourrir, souvent aux mêmes endroits et aux mêmes époques chaque année. Les routes de migration longent souvent les côtes ou suivent le cours des rivières. Les oiseaux utilisent ces repères pour s'orienter, mais aussi le Soleil, la Lune et les étoiles pour retrouver leur route chaque année.

Les flamants roses
Ces oiseaux migrent surtout la nuit. Leurs ailes puissantes leur permettent de parcourir près de 600 km d'affilée sans se poser.

Les oies cendrées
Les oies migrent par troupes et volent en formation en V. Chacune économise ainsi son énergie en volant dans le sillage de l'oie précédente, sachant qu'elles se relaient régulièrement en tête de troupe.

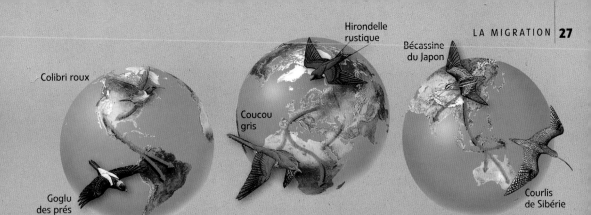

Colibri roux

Hirondelle
rustique

Bécassine
du Japon

Coucou
gris

Goglu
des prés

Courlis
de Sibérie

L'Amérique
Les nombreuses routes
de migration entre l'Amérique
du Nord et du Sud convergent
vers l'isthme de l'Amérique
centrale avant de se séparer
à nouveau.

De l'Europe à l'Afrique
Des millions d'oiseaux
empruntent chaque année
les routes de migration
entre l'Europe et l'Afrique
en transitant par Gibraltar
ou le Proche-Orient.

De l'Asie à l'Australie
Les routes des oiseaux allant
de l'est de l'Asie à l'Australie
survolent 22 pays. Les oiseaux
aquatiques font un voyage
de près de 26 000 km aller-
retour.

Le savais-tu ?
Avant de migrer, les oiseaux mangent
davantage pour faire des réserves
de graisse et d'énergie. Pour être sûrs
que leurs plumes sont en bon état,
ils muent souvent avant de partir.

Oiseaux en danger

L es oiseaux sont menacés naturellement par leurs prédateurs et les maladies, mais aussi et surtout par l'homme, qui détruit leur habitat pour construire à la place des villes, des routes, des chemins de fer ou des oléoducs. Les oiseaux perdent ainsi leur milieu naturel et leurs sources d'alimentation. Par ailleurs, certains oiseaux sont chassés pour leurs plumes, capturés pour être mis en cage ou mangés. La température terrestre qui s'élève fait monter les eaux des mers, inondant les terres de nidification, salant les eaux douces, mettant à sec les zones humides où les oiseaux se reposent durant leur migration.

Le savais-tu ?

S'il y avait près de 22 000 bernaches néné à Hawaii en 1778, on n'en comptait plus que 30 vers 1950. Mais, après réintroduction, on en dénombre aujourd'hui 3 000.

Le diamant de Gould d'Australie
Il ne se nourrit que de graines. Mais les vaches et les chevaux paissant sur ses terres lui retirent sa nourriture.

Le gorfou de Schlegel
Ce manchot de l'île Macquarie (au large de l'Australie) est menacé par la pollution, la pêche et le changement de climat.

L'érismature à tête blanche
Ce canard se nourrit parmi les roseaux des zones humides. Mais son habitat se rétrécit, et il est chassé.

La harpie féroce
La plus grande menace pour cet aigle d'Amérique du Sud est la destruction de la forêt tropicale où il vit.

Disparus à jamais
Au cours des 330 dernières années, une centaine d'espèces d'oiseaux se sont éteintes par la faute de prédateurs ayant modifié ou détruit leur habitat.

Le dodo
Ce gros oiseau non volant de l'île Maurice n'est plus connu que par des dessins et des os. Il s'est éteint vers 1680 du fait de l'homme.

Quel dommage !
La dernière tourte voyageuse est morte dans un zoo en 1914. Cet oiseau migrateur d'Amérique du Nord qui vivait en immenses colonies a été décimé par l'homme en un siècle.

Le conure doré
Il tombe dans les pièges de chasseurs qui le vendent comme oiseau domestique ou pour ses belles plumes jaunes et vertes.

Le grand pingouin
Le dernier représentant de cette grande espèce volante habitant les bords de l'Atlantique Nord fut tué en Islande en 1844. On le chassait pour sa chair et pour son duvet, dont on garnissait les édredons.

En savoir plus

L'Américain Alexander Wetmore (1886-1978) fut le premier ornithologue à classer les oiseaux par famille, genre et espèce. Certaines espèces sont vraiment originales !

1 Le pélican à lunettes est l'oiseau possédant le plus long bec : plus de 47 cm ! Il peut contenir plus de 13 litres d'eau !

2 L'aigle a quatre serres à chaque pied. Lorsqu'il saisit sa proie, ses pattes puissantes contractent les serres, qui se referment comme des étaux.

3 Le jacana à poitrine dorée semble marcher sur les eaux grâce à ses très longs doigts, qu'il pose sur les plantes flottantes.

4 Le faucon pèlerin a une vitesse de vol de 97 km/h. Mais quand il vole en piqué, il peut atteindre 282 km/h !

5 Le héron strié pêche à l'appât : il attrape un insecte et le jette sur l'eau afin d'attirer les poissons. Il n'a plus qu'à les pêcher !

6 Le moineau domestique est l'oiseau le plus commun. Les poulets sont plus nombreux encore, en tout cas bien plus que les humains !

Glossaire

bréchet
os central de la cage thoracique des oiseaux.

charognard
animal qui se nourrit d'animaux morts.

envergure
distance, mesurée en centimètres, de l'extrémité d'une aile à l'autre.

faire du sur-place
battre rapidement des ailes pour rester en l'air au même endroit.

forêt tropicale
forêt épaisse, chaude et humide.

kératine
substance cornée existant dans les écailles de dinosaure et retrouvée dans les plumes des oiseaux, les cheveux et les ongles de l'homme.

muer
pour les oiseaux, c'est changer de plumage pour en avoir un nouveau, plus important ou plus résistant.

nocturne
désigne un animal qui est actif la nuit et dort le jour (l'animal actif le jour est diurne).

oiseaux en danger
se dit d'une espèce d'animal demeurée aujourd'hui en si petit nombre qu'elle risque de disparaître totalement.

ornithologue
scientifique spécialiste des oiseaux.

percher (se)
se tenir sur une branche, pour se reposer ou dormir.

planer
voler les ailes grandes ouvertes, sans battements, en se laissant porter par les courants aériens.

plumage
ensemble des plumes d'un oiseau.

plumes de couverture
rangées de plumes qui recouvrent les plumes de vol, sur les ailes et la queue de l'oiseau.

prédateur
animal qui chasse d'autres espèces pour se nourrir.

proie
animal tué et mangé par un prédateur, que celui-ci soit l'homme ou une autre espèce.

rectrices
grandes plumes de la queue, qui contrôlent et stabilisent le vol de l'oiseau.

rémiges
grandes plumes de contour sur les ailes d'un oiseau qui lui permettent de voler.

terrestre
se dit d'animaux (y compris les oiseaux) qui vivent sur terre (par opposition aux espèces aquatiques).

zone humide
partie de terres recouvertes ou imprégnées d'une mince couche d'eau.

Index

Crédits et remerciements

Abréviations : hg = haut gauche ; hc = haut centre ;
hd = haut droite ; cg = centre gauche ; c = centre ;
cd = centre droite ; bg = bas gauche ; bc = bas
centre ; bd = bas droite ; ap = arrière-plan

CBCD = Corbis Photodisc ; iS = istockphoto.com ;
PDCD = PhotoDisc ; SH = Shutterstock ;
TPL = photolibrary.com

Couverture Illustrations © copyright Weldon Owen
Pty Ltd sauf 1er plat c SH ; **Intérieur 2–3**ap SH ; **6**cg
iS ; **15**hd PDCD ; **18**hd iS ; **26**hd SH ; **30**ap CBCD ; c iS ;
hc, hd, cd, bd SH ; bc TPL ; **31**ap CBCD

Toutes les autres illustrations © copyright Weldon
Owen Pty Ltd. **8**c, bc, bd ; **9**c, bd ; **10**hg ; **20**bc, bg
Magic Group